체인소 맨
15
[전채]
Tatsuki Fujimoto

CHARACTERS

미타카 아사

학교에 적응하지 못해 음습한 괴롭힘을 당하는 고독한 소녀. 정의의 악마에게 습격당해 한 번 죽었지만, 전쟁의 악마 요루가 몸을 차지하면서 되살아났다. 부모님을 죽인악마를 증오해서 체인소 맨 역시 좋게 생각하지 않는다. 다루기 까다로운 요루 때문에 애먹는 중…!!

요루(전쟁의 악마)

원래는 올빼미 같은 모습인 전쟁의악마. 체인소 맨을 죽이기 위해 아사의 몸을 빼앗아 뇌의 절반을 지배했다. 죽인 대상을 무기로 바꾸는힘을 지녔다. 인간 사회의 물정에는어두운 편이다.

덴지(체인소 맨)

체인소의 악마가 심장에 깃들어 있는 체인소 맨. 평소에는 고교생으로 생활하면서 남몰래 악마와 싸우고 있다. 공안의 키시베로부터 지배의 악마인 나유타를 맡아 보살피게 됐는데…?

키가(기아의 악마)

아사가 다니는 고등학교의 데블 헌터부에 소속된 여학생. 정체는 전쟁의 악마의 언니.

요시다 히로후미

어느 조직에 소속된 데블 헌터. 덴지의 정체를 숨기고 싶어 한다.

STORY

고독한 소녀 미타카 아사는 학교에서 괴롭힘을 당하고, 심지어는 정의의 악마와 계약한 반장에게 원한을 사면서 살해당하고 만다. 그러나 전쟁의 악마 요루에게 몸을 빼앗겨서 부활!! 요루는 체인소 맨을 찾아서 죽이는 데 성공하면 몸을 돌려주겠다고 하지만…?!
덴지를 자신의 무기로 만들고자 계획한 수족관 데이트. 그러나 키가가 보낸 영원의 악마의 힘으로 인해 덴지와 아사, 요시다 등은 수족관에 갇히고 만다. 극한 상태에 몰리면서도 아사의 기지로 탈출에 성공! 사건 후에 덴지와 아사의 거리는 가까워지지만, 결국 뜻대로 되지 않아서 인간

관계 형성에 절망하는 아사…. 같은 무렵, 키가는 요시다에게 근원적 악마가 습격해 올 것을 예언한다. 그녀의 말대로 실의에 빠진 아사 앞에 사람들이 연이어 추락하는 이상 현상이 발생하는데?!

CONTENTS

[제 123 화] 전채 007

[제 124 화] 수프 026

[제 125 화] 사과 절도범 044

[제 126 화] 뒤죽박죽 파이트 060

[제 127 화] 세이브 더 아사 076

[제 128 화] 메인 디시 092

[제 129 화] 도와줘, 체인소 맨 108

[제 130 화] 킬 빌딩 126

[제 131 화] 똥 맛 144

[제 132 화] 보호 164

[제 133 화] 체인소 맨 시위 180

8

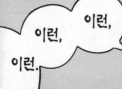

이런, 이런, 이런.

흉측한 꼴을
보이고 말았습니다….

아사!
정신 차려!

네가
부정적으로
생각하는 건
저 악마의 힘
때문이다!

그럼,
곧바로 조리를
시작하도록
하겠습니다.

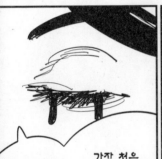

강한 무기는
너밖에
만들지 못해!

듣고 있어?!

트라우마가
입맛을 돋우는
전채…
라 *네 봉라.

가장 처음
입으로
가져가실
요리는,

※뿌리 근(根) 자의 일본어 훈독. 뿌리, 근원, 마음속을 뜻한다.

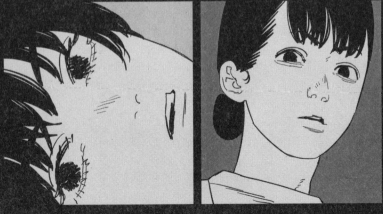

28

아사는
손톱의 아픔만
생각하도록 해.

그러면
공포를 잊을 거야.

역시
내 지면은
아래에 있다….

아니…
온몸의 털이
곤두서는
그 느낌.

중력,

악마의
이름은….
트라우마,

부정적인 과거의
플래시 백 직후,

그 감각은
더욱더
근원적인 공포….

달…

자살….

무사한
인간도
있음….

중력의
반전…?

낙하…?

왜 내 앞에
나타났지…?

아니면
또 기아 녀석이….

우연…?

아파아아아아!!

아픈 것만 생각해,
알았어?

아픈군….
아프지?

난 지금!
네가 죽지 않도록
필사적으로
움직이는 중이야!!

이제 와서
두려워할 게
뭐 있냐!!

날
두려워했구나?!

또 몸에서
쫓겨났어!!

날 신뢰해,
바보야!!

33

신뢰?!

가능할 리가
없잖아,
바보야!!

바보?!

내 신체 능력으로 도망치면 살아남을 수 있을지도 몰라.

그러기 위해선 네 공포심은 방해가 되니까 버려야 해.

…아사 넌 지금 악마의 힘 때문에 네거티브해진 거야.

지금 상황을 냉정하게 생각해 봐.

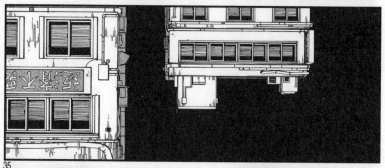

35

내 머릿속을 보면 알잖아…?

내가 줄곧 무엇을 두려워하는지….

타인을 신뢰할 수 없는데
혼자는 외로워서…

가끔씩
남에게 다가가….

그러면
항상 나쁜 일이
일어나고…

상처 받고…

또 혼자가
돼 버려…!

혼자 있는 것도
타인과 있는 것도…

둘 다
무서워…!

읍…!
으읍…!

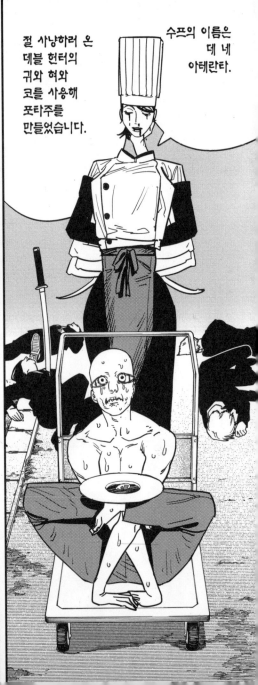

절 사냥하러 온
데블 헌터의
귀와 혀와
코를 사용해
포타주를
만들었습니다.

수프의 이름은
데 네
아테란타.

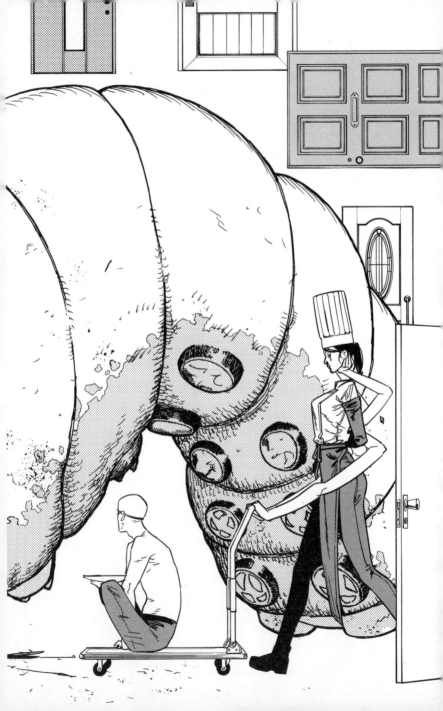

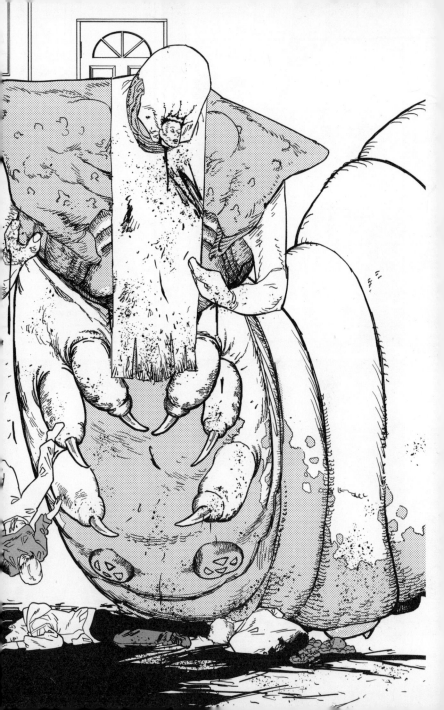

슬슬
메인 디시를
가져오도록
하지요.

이름은
아사 네 요루.

인간과
전쟁의 악마를
섞은 것입니다.

Chainsaw man

눈이 10개.

귀가 4개.

남은 건….

실례합니다…
인육에 어울리는
사과 있나요?

그래서…
인육에 어울릴
사과는….

어머,
안심하세요.

절 공격하지 않는 한
당신에게 위해를
가할 생각은
없거든요.

제성함니다…
제성함니다….

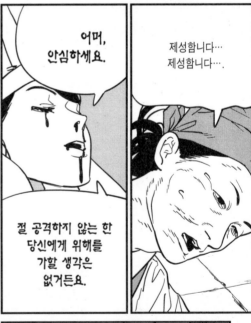

46

소스에는
남성의 머리통을
빼놓을 수
없는데….

아이참,
깜박했네요.

47

실례지만
머리통 하나 주실 분
안 계실까요?

중지.

49

그것만 마치고
바로
돌아갈
테니까요….

이제
미타카 아사를
지옥으로
떨어트리기만 하면
됩니다.

전 더 이상
사람을 죽이지
않을 것이므로
싸울 필요
없어요.

당신이
소문으로 듣던
체인소 맨
이군요.

미타카 아사를…

지옥에
떨어트린다고…?

네.

크아아
아아아
아아악?!

미타카 아사의
냄새를
따라가 볼까요.

자,
그럼….

추한 것은
싫어요.

거기

서어…

체인소 맨.

아직 더 싸워 줘야 겠어요.

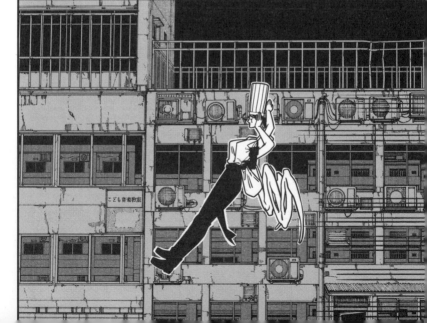

왔습
니다.

왔다?!

아사!

크윽!

77

지금은 그저
떨어졌을 때의
충격이,

하늘에 펼쳐진
암흑이 두려울 뿐.

몸이 느끼는
부유감이,

당신에게는 이미
생에 대한 집착이
그리 남아 있지
않군요?

근육의
움직임과
땀 냄새로
알 수 있어요.

눈을
감아 주세요.

그러면
평온하게 감싸이는
낙하를 약속하지요.

정말이다.

정말로
편안해.

이제 더 이상
다른 사람에게
민폐를
끼치거나,

아….

멋대로
상처 받지
않을 거야.

하지만
마지막
후회가.

자기 전에
침대 위에서,

한 명이라도
좋아….

한 명이라도
좋으니까
진심으로
누군가와….

그때 그렇게 하면
좋았을 거라며
끙끙 앓지
않아도 돼.

난 이제
떨어져도
상관없어!!

바보 취급
당하고,
혼자
기대했다가
배신당하고…!

그렇잖아
?!

살아 있으면
안 좋은 일만
생기는걸!!

그게
뭔 소리야!!

그야
그렇지만…!

으아앗?!

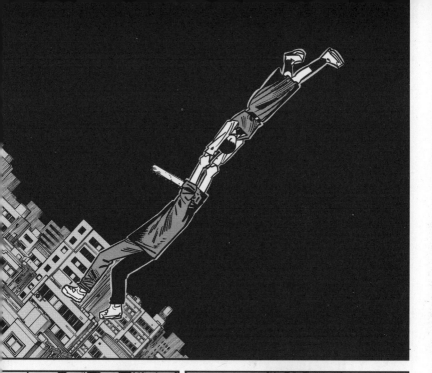

아이스!
아이스크림!

멈췄다!
고양이!
고양이!

우으으으~…!

윽!
으으으으…!

87

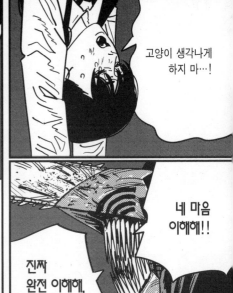

고양이 생각나게
하지 마…!

네 마음
이해해!!

진짜
완전 이해해,
나는!!

나보다
험한 일을
겪은 사람은
없다고!!

이해할 리가
없잖아?!

엄~청
즐거운 나날이
이어진다 싶어서
방심하면…!

갑자기
엿같은 일이 생겨서
전부 다
잡치게 되지?!

88

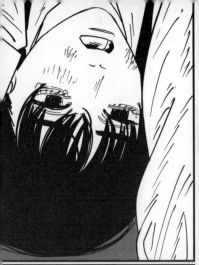

체인소
맨은!!

극복하지
않았어!

무슨 수로
극복했어…?

체인소 맨은….

단지
나는…

앞으로
똥 햄버거를 먹어도
괜찮을 만큼
기대하는 일이 있으니까
살아가는 거야!

그게
뭔데…?

야한 짓!

섹스
해 보고
싶어!!

역겨워!!

작작 좀 밝혀!!
징그럽다고!!

역시
이 손 뇌!
죽어 버려!!

엄~청 기분 좋으니까
인류가 이만큼 많은 거고!

아앙?!
뭐가
징그러워!!

섹스는 무진장...
굉장한 일이라구!

나도 너도
섹스의 힘 덕분에
지금 이렇게 존재해.
그렇잖아?!

다른 사람의
침이랑 땀이
마구 뒤섞이다니,
역겹기 짝이 없어!!

다들 그것밖에
할 짓이 없으니까
하는 거지!!

[제128화] 메인 디시

너 그거
진심으로
하는 소리냐?!

어…
엑?

그보다
넌 왜
자기가 누군가랑
섹스할 수 있다고
생각하는 거야…?

다른 사람의
침이랑 땀이
마구 뒤섞이는 것보다
더 좋은 일은 없지!!

93

지금 당장은
못 해도…

어른이 되면
머지않아
여친이 생겨서….

헐?
뭐래, 진짜!

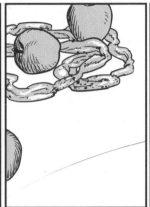

97

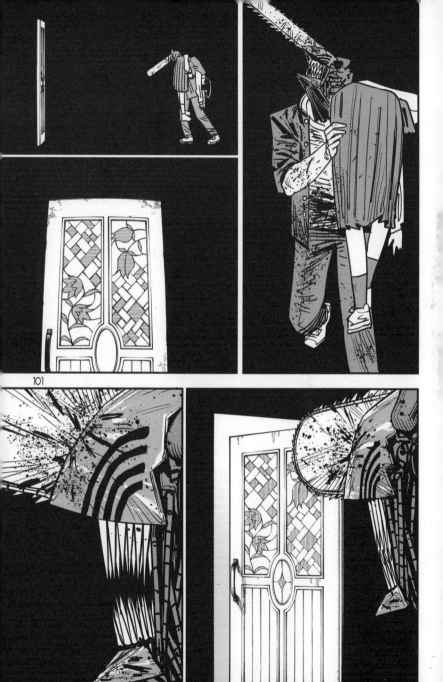

메인 디시에
체인소 맨은
필요 없습니다.

미타카 아사를
두고 간다면
당신은
돌려보내 드리죠.

이 엉덩이만은
가지고 돌아가도
되냐?

…변태.

낙하의 악마는
요리를 남긴 손님을
용서하지 않아요.

낙하의 악마에게
살해당하고 싶지 않은 손님은
죽기 살기로
미타카 아사를
먹으려고 할 겁니다.

Chain saw man

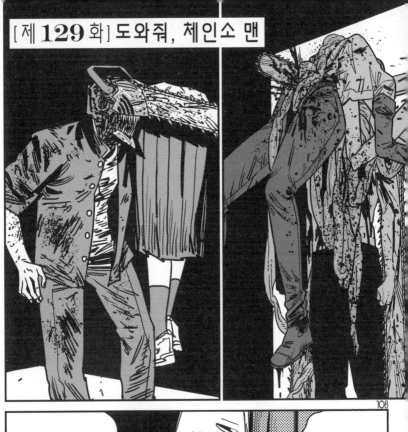

2명…?

체인소 맨이…

이 틈에
숨통을 끊어!!

아사!
지금이다!

컥!

카학!

죽이면
네 몸도
돌려주마!!

그토록 싫어하는
나하고도
이별이야!!

네가
그런 녀석인 건
그동안의 일들로
알아챘었는데….

…실수했다.

111

넌
항상 그래…!

어째서
아사는

내가 뭘 시키면
정반대로만
행동하는 거지…?

아아악
~?!

굳이
내 원수를
도울 필요는
없잖아!!

그렇게까지
내 속을
긁어야겠어?!

체인소 맨은
유우코 때도...

아까도
날
구해 줬어
...!

게다가…
체인소 맨을
보고 있으면,

이렇게
쓸모없는 녀석이
살아 있어도
된다면…!

나도 살아도
괜찮겠다고
조금은
안심하게 돼…!

그러니까…!

아사!!

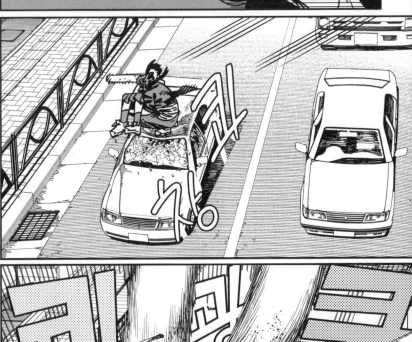

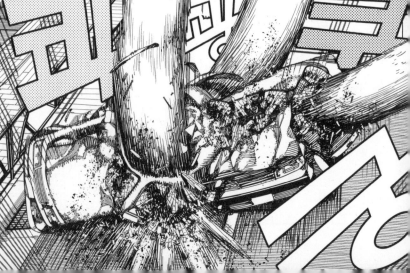

119

저 사람한테서
바이크를
훔쳐!!

부탁이야!!

체인소 맨!!

어엉?!

121

그럼,
저 남자의
바이크를
빼앗아!!

뭔~
말도 안 되는
소리냐?!

여자가
타고 가는 걸
어떻게 훔쳐,
이 도둑놈아!!

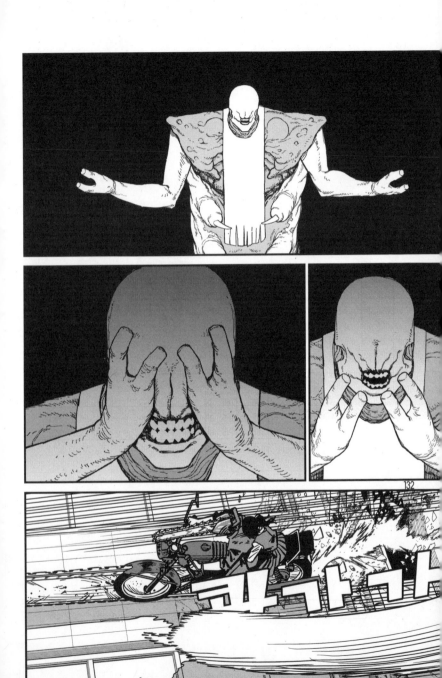

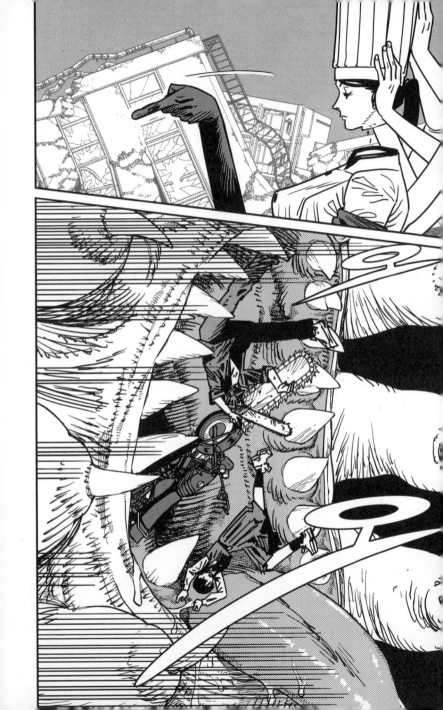

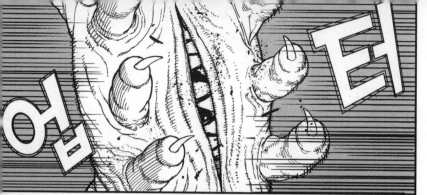

어떤가요?

공포에 휩싸인
인간의 맛은….

내가
사랑을 담아
만든 요리를…

내…
내가!

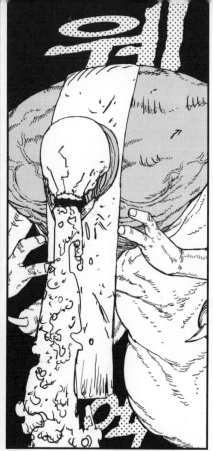

다니!

토하!

그 악마의 머리를
살짝 지배해서,

지배.

인간이 똥 맛으로
느껴지게 했어.

156

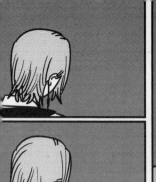

왜 덴지랑
이 여자를 노려?

언니.

노스트라다무스의
대예언은 적중했어.

이제 곧
지상에
최악의 공포가
내릴 거야.

그거
괜찮네.

재미있겠다~.

그렇게 되면
인간의 시대는
끝나고

난 싫어.

악마의 시대로
바뀌어.

왜?

엑?!
피자가
없어져?!

싫어~!

피자라든지…
중화요리가
없어질 테니까.

악마의 시대가
오면…

그건
내 생각이 미치는
범위 안에서
가장 최악인 사태.

그래….

이대로 가다간
나도,

너도,

체인소 맨도
예언을 막지 못해.

하지만…

전쟁의 악마라면
이길 수…

…아마도.

있게 만드는 게
가능할 거야….

죽이려고
했잖아!

뭐야,
그게!

지배…
나한테 협력해 줘.

전쟁을
그 악마의 위장에 가둬서
굶기려던 것뿐이야.

너와 내가 힘을 합치면
악마의 시대는
도래하지 않을지도 몰라.

난 굶주린 자를
내 장기말로
삼을 수 있으니까.

어째서?

무리야!

학교에
가야 하니까!

[제 **132** 화] 보호

쇼타, 유미.

디저트를
내놓도록 해.

네.

네.

미우도
죽었고….

행방불명이라고
해야지…!

왠지 오늘…
학교에 사람이
별로 없지 않아?

근데 이사보다는
죽은 애들이
더 많지 않을까?

도쿄에서
이사 가는 사람들이
많대.

흐~음.

도쿄도에서는
전 구역에서
정전이 이어지고
있으며,

또한 혼란을 틈타서
공포를 조장하는
사람을 발견하시면
아래 전화번호로.

위쪽 구역에서는
계획 정전을
예정 중입니다.

166

현재
확인 가능한 단계에서
사망자, 행방불명자는
2000명이 넘으며.

죄송합니다~!!

앉아 계신 분들은
통로에서
비켜 주세요~!!

앗!

지나
갈게요~!!

비켜 주세요!
죄송합니다!

너만 한
나이의
손주가
말이다…

건물 잔해에
깔려 버렸어…

좀 지나가겠
습니다~!

또…
체인소 맨에게
도움을 받았다…

낙하의 악마가
출현한 영향으로
세계 각국에서
중력에 이상이 발생하여
낙반이나 토사 재해가
잇따르고 있어요!

일본뿐만이
아닙니다!

낙하의 악마는
물론이고
총의 악마를
쓰러트린 건
바로 그!
체인소 맨입니다!

종말을 향해 가는
이 세상에서
정치가나 데블 헌터가
의지가 됩니까?!

저는!
우리를 아무런 대가 없이
구해 주는 체인소 맨에게
협력하고 싶습니다!

그런 마음을 품은
사람들이 모여서
단체를 창설했습니다!
그 이름하여….

체인소 맨 협회는!
체인소 맨과
함께 싸울 인재를
모집 중입니다!

세계 평화
체인소 맨
협회예요!

다가올
노스트라다무스의
대예언을
회피하기 위해서도!

함께
선두에서
싸웁시다!

Yeah~!!

앗,
피~스!

세상이 끝나기 전에 대학 수험에 떨어지면… 엉?

아직 학생이잖아~?

노스트라다무스 같은 거나 믿고….

이세우미 씨… 라고 했나?

당신 인생이 먼저 끝장나는 거 아닌가?!

아하하하 하하하!!

하하하 하하하!!

키가!

제길!!

정말로 내가
저런 저속한
예능 프로그램에
나갈 필요가
있었던 거야?!

내가 하는 말 전부!
사회자의 개그 소재로
쓰였을 뿐이라고!!

어째서
?!

걱정 마.

넌 생각하지
않아도 돼.

이번 목적은
멸시를 당하는 것에
있었으니까.

이세우미가 할 일은
협회의 얼굴이
되는 것이다.

키가는
두뇌 역할에
전념해서,

너희 둘이
체인소 맨 협회라는
몸을 움직이는 거지.

키가 말이
맞아.

악이 없는
세상으로
나아갈 거잖아?

그 몸으로…

173

모든 것은
체인소 맨을
위해서…

알고 있어요….

네….

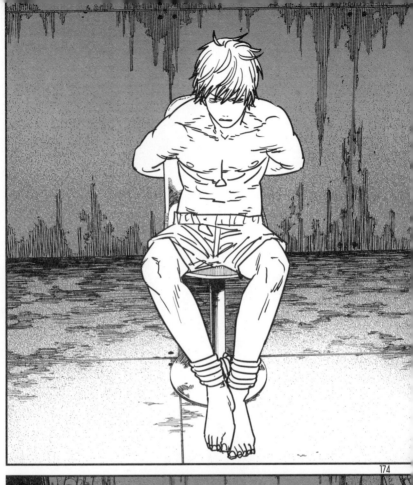

야아,
그나저나 다행이야.
덴지.

학교에서 졸다가 깨 보니 묶여 있는 게 보호냐?

널 무사히 보호하는 데 성공해서.

크게 다친 곳은 없대.

미타카 아사는 병원에 있어.

개들은 어쩌고 있지?

···나유타는?

나유타한테도
개들한테도
아무런 위해는
가하지 않았고,

똥구멍을
핥을 필요도
없어.

나가 뒈져!!

네가 여기서
보호받는 동안에는
말이지.

Chain saw man

[제133화]체인소 맨 시위

체인소 맨을
악마로 취급해서
토벌하라고
공안에게
호소 중이야.

이 시위대를
너한테
보여 주고
싶었어.

앗!

널
싫어하니까.

난
착한 아이인데
왜?

지금 시위대랑
충돌하는 건
체인소 맨 교회의
신도들이네.

널
좋아하니까.

왜 시위대랑
싸워?

나 때문에 싸움이 벌어지다니 말이야.

왠~지 기분 좋네….

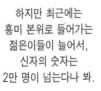

하지만 최근에는 흥미 본위로 들어가는 젊은이들이 늘어서, 신자의 숫자는 2만 명이 넘는다나 봐.

체인소 맨 교회에 입교하던 사람들은 네 팬이나 악마 피해자들이었어.

그래서
교회에 물자를 지원하는
정치가도 나타났다고 해.

대부분이 학생이지만
얼마 안 있어
선거권을 갖게 되겠지.

이 정도 시위로 끝나면
다행이겠지만,
더 큰 다툼으로 발전할
가능성도 있었어.

체인소 맨의 일거수일투족은
네가 관리할 수 있는 범위를
벗어난 거야.

…넌 이제
아무것도 하지 않았으면
좋겠어.

뭔 소리야?

그래서?
난 뭘 하면
나유타랑 개들을
만날 수 있는데?

두 번 다신
네가 체인소 맨이
되지 않았으면 해.

…싫어.

들었어,
네가 평범한 삶을
동경한다는 걸.

나유타랑
함께.

체인소 맨이
되지 않는 것만으로
그 꿈이
이뤄질 거라고.

···이건
덴지 네가
인간으로
돌아갈 수 있는
찬스야.

188

나는…!
날 위해서
시위대랑
싸워 줬으면
한다고~!!

그것도
싫어~!!

있잖아,
덴지….

둘 중 하나를
선택할 때가
온 거야.

나유타의
목숨과

그 추악한
욕망 중에서.

그치만
체인소 맨이
될 수 없는 것도
싫어~!!

나유타가 죽어도
상관없어,
너는?!

시위대!!
집합~!!

이 자식을
죽여 줘~!!

덴지~!!

이 정도로
바보였을 줄이야…!

만나게 하는 건
아직 일러!!

얼레?
아직이었나?

냄새!

내내
못 씻었거든!

덴지,
잘 들어!!

네가
나유타의 목숨을
선택하면
함께 돌아가게
해 줄
계획이었어!

그랬는데…!

뭐라고~?!

덴지!!
이 녀석한테!
Fuck you라고
말해!!

빨리!!

그래,
뭐… 좋아!
이번 일을 통해서
잘 알았겠지!

네가
체인소 맨이 되면
공안은 나유타를
죽여 버릴 거야!!

194

할 말 다 끝났지?
우린 그만 간다!

195

내 얘기
제대로 들은 거
맞나?

15 전채/END

Chain saw man

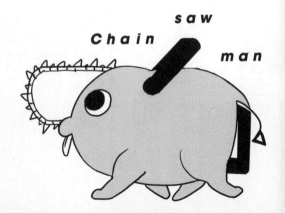

체인소맨

예능 프로그램

앗…
지금 TV에
나온 여자애
예쁘다….

뭐…
내가 화장법을 공부하고
헤어스타일만 살짝 신경 쓰면
더 예뻐질 수 있겠지만.

그런 짓을 하기 귀찮고,
딱히 예뻐지고 싶은 마음이
있는 건 아니라서
예뻐지지 않는 것뿐이지,
더 예뻐지겠다고 마음만 먹으면
예뻐질 수 있어….

이 여자애는 내세울 게
예쁜 외모밖에 없지만,
난 어느 정도 머리도 좋으니
종합적으로 따지면
내가 더 위야~….

영화

이 여주인공 배우,
연기 잘한다….

아니… 그치만
연기를 잘한다는 건
거짓말을 잘한다는 의미니까
일상생활에서 그건
별로 좋은 일이 아니라는
생각이 들어….

나도 작정하고 공부하면
배우가 될 수 있을 것 같지만,
거짓말하는 건 싫으니까
별로 되고 싶지는 않네….
뭐, 스카우트 제의를 받는다면
한번 해 볼 의향도 있지만.

좀
조용히 볼 수는
없는 거냐?

최종적인 행복도도
연예계 생활을 하느라
닳고 지친 이 여자애보다
내가 더 높을지도 모르지.
스카우트 제의를 안 받아서
다행이다~.
그래도 혹시나
내가 배우가 된다면 종합적으로.

‹체인소 맨›, ‹룩 백› 작가

후지모토 타츠키

그의 압도적인 재능과
히트작이 탄생하기까지의 초석이 담긴
기적의 작품집!

후지모토 타츠키 단편집
17-21

후지모토 타츠키 단편집
22-26

학산코믹스
10321

체인소 맨 15

2023년 12월 15일 초판인쇄
2023년 12월 25일 초판발행

저   자 : Tatsuki Fujimoto
역   자 : 김시내
발 행 인 : 정동훈
편 집 인 : 여영아
편집책임 : 황정아 노혜림
미술담당 : 김진아
발 행 처 : (주)학산문화사

서울특별시 동작구 상도로 282 학산빌딩
편집부 : 828-8988, 8838   FAX : 816-6471
영업부 : 828-8986
1995년 7월 1일 등록 제3-632호
http://www.haksanpub.co.kr

CHAINSAW MAN
©2018 by Tatsuki Fujimoto
All rights reserved.
First published in Japan in 2018 by SHUEISHA Inc., Tokyo.
Korean translation rights in Republic of Korea arranged by SHUEISHA Inc.
through THE SAKAI AGENCY.

ISBN 979-11-411-1712-2 07650
값6,000원 ISBN 979-11-348-6051-6(세트)